HUMOUR NOIR
NOIR
&
HOMMES
EN
BLANC

cinquante-six
DESSINS DE
CLAUDE
SERRE

éditions
jacques glénat

6, rue lt-chanaron | 38000 grenoble

préface

Un vieux proverbe moldosamovar ou poldobolivar, je ne me rappelle plus exactement au juste de son origine proverbiale dit, aussi judicieusement que pertinemment et réciproquement *"avant la préface, ce n'est pas la préface, après la préface, ce n'est plus la préface, la préface c'est la préface"*.

Or, si jamais un proverbe a trouvé sa pleine et entière motivation c'est bien celle qui concerne le recueil de dessins *"Humour noir et Hommes en blanc"* du combien sympathique et combien talentueux Claude Serre, auquel je me fais un devoir autant qu'un plaisir, et réciproquement, d'adresser l'assurance tous risques de ma considération la plus distinguée ainsi que l'expression algébrique de mes sentiments les plus caractérisés, sans préjudice du reste, de tout ce qui en découle, de tout ce qui s'ensuit et de tout ce qui s'en déduit.
Poil aux enduits.

Mais, ne nous y trompons pas, il y a préface et préface comme il y a postpile et postpile, en ce sens qu'il ne s'agit pas, en la présente occurence préfacière, d'écrire une préface à la va comme ça se trouve ou à la va comme ça peut, mais d'en rédiger une consciencieusement et scrupuleusement en tout état de cause et en toute cause d'état, en vertu du principe de Schpotzermann et Schpotzermann qui établit en le démontrant, et inversement, que rien ne sert de courir si on n'est pas pressé et que rien ne sert de se lever si on n'est pas foutu de se tenir debout.
Poil au marabout.

Aussi, est-ce en m'inspirant intensément et profondément de cet édifiant et fortifiant apophtegmorisme — l'apophtegmorisme étant, comme le savent ceux qui ne l'ignorent pas, l'élément positif qui permet de réaliser la synthèse de l'apophtegme et de l'aphorisme — que j'ai entrepris, à l'amicale demande et à la cordiale invite de Claude Serre, la rédaction de la préface de son recueil de dessins *"Humour noir et Hommes en blanc"*, dont on est en droit et en gauche de dire qu'il les a exécutés capitalement et magistralement, d'une main blanche avec un crayon noir, le tout excellemment et succulemment et avec une âme saine dans un corps sain, selon la formule de Juvénal *"mens sana in corpore sano"* et non celle *"laisse-ça là et incorpore les salauds"*, d'un mauvais auteur latin anonyme et déplorable parodiste, de surcroit qui mérite une correction.

Mais, qu'on le veuille ou non et qu'on l'admette ou pas, écrire une telle préface n'est pas précisément de la tarte aux pruneaux crus ni exactement du gâteau aux pruneaux cuits, étant donné que pour la réussir il convient d'y réfléchir avant d'y penser ou d'y penser avant d'y réfléchir, suivant le cas et en fonction de la circonstance.

Ce que je fis sagement et prudemment en me référant, pour bien le faire, à la mémorable et inoubliable parole de l'illustre philosophe ivrogne grec et célèbre fondateur de la fameuse Ecole éthylique hellénique, Mordicus d'Athènes, qui vécut, je le rappelle pour mémoire, de 186 à 83 au fond de la 2e cour à droite avant J.C., qui dit, en son auguste simplicité et sa noble modestie : *"Que ceux qui ont quelque chose à dire le disent. Dans le cas contraire qu'ils se taisent, comme le fait ma sœur Thérèse qui se tait quand on l'apaise"*.

Or moi, qui ai quelque chose à dire, je le dis simplement et modestement, à son instar et à son exemple, en disant tout uniment et tout préfacement tout le bien que je pense du grand talent de Claude Serre et de son remarquable recueil de dessins, qu'aucun sombre dessein n'anime, et qu'il a chaudement recueilli pour leur éviter de l'être froidement par l'assistance publique.

Pour en finir éthiquement et en terminer moralement avec cette préface que j'ai voulue en forme d'éloge parce que celui à qui elle est destinée en est digne, je m'en voudrais de ne pas dire au jeune et charmant Claude Serre qu'il aura toujours son avenir propicement devant lui, à condition, toutefois, de ne jamais faire demi-tour, vu que s'il lui prenait la fâcheuse idée d'en opérer le moindre, il l'aurait fatalement dans le dos.

Voilà. Præfacia ite terminare, comme on dit en langage apostolique et en dialecte œcuménique.
Poil à la règle canonique.
Amen.

Pierre DAC

CLAUDE SERRE

Né le 10 novembre 1938 dans la région parisienne.

ETUDES:

Académie de la Grande Chaumière pendant une année,
(apparitions épisodiques)
Formation de peintre verrier pendant huit ans
avec le maître verrier Max Ingrand.

EXPOSITIONS:

1964 : exposition de groupe à Berlin
1965 : exposition de groupe à Tolentino
1967 : exposition de groupe Galerie
«Tournesol» à Paris.
1967 : exposition personnelle Galerie
«La Pochade» à Paris.
1970 : exposition de groupe Galerie
«L'envers du Miroir» à Paris
1972 : exposition à Bordeaux
1972 : exposition personnelle Galerie
«Galère 3» à Paris.
1975 : Galerie Laure Matarasso, Paris
Galerie Rivolta, Lausanne, Suisse
1976 : Heilbronn, musée, Allemagne
Librairie Los Païs , Draguignan.
1977 : Ambassade de France à Tunis.

BIENNALES:

1968 : Sélectionné pour la Biennale de Paris.
1971
1975   Biennales de Ljubljana Yougoslavie

ALBUMS COLLECTIFS:

- Général, Vous Voilà, édition de la
pensée Moderne , janvier 1964
(avec Gébé, Mignard, Cardon, Topor, Bosc,...)

- Humour par excés de zèle, édition Jean Claude
Weimberger, 2ème trimestre 1965 (avec Solo,
Nitka, Gourmelin, Chaval, etc)
- Les grands dessins du Général (de Gaulle raconté
par la caricature) album N° 14 du Crapouillot
(déc. 70/janv. 71), (avec Moisan, Effel, Sennep,
Bosc, Calvi, Colin, Topor, Searle, etc)

- Ta Gueule, dessins pour Amnesty International
(1 dessin). Editions Stalling/Albin Michel. 1977.

GRAVURES:

Grave pour les Editions «Empreinte» (25 gravures environ)
et pour le club du livre (2 gravures, et illustration en
lithographies d'un livre de Beaudelaire , en projet)

LIVRES ILLUSTRÉS:

«Asunrath» livre fantastique édité chez Losfeld.

«Mon oursin et moi» de Francis Blanche.

COUVERTURES DE LIVRES:

Le Bruit et la Fureur de Faulkner,
Collection Folio (Gallimard)
Bokassa 1er de Pierre Péan (Alain Moreau 1977)
Un chasseur nommé Giscard de Jean Jacques Barloy et
Françoise Gaujour (Alain Moreau 1977)
Les Juges et le Pouvoir de Gérard Masson (Editions
Alain Moreau/Syros, 1977)
Nuits de Terreur de Paul Feval (Jacques Glénat, collec-
tion Marginalia, 1978)

ALBUMS DE DESSINS:

HUMOUR NOIR ET HOMMES EN BLANC
Album de 52 dessins humoristiques sur le thème
des professions médicales. Editions Jacques Glénat

LE SPORT
Album de 60 dessins humoristiques sur le thème
du sport. Editions Jacques Glénat

L'AUTOMOBILE
Album de 60 dessins humoristiques sur le thème
de l'automobile. Editions Jacques Glénat

Venu au dessin d'humour en 1962, il a également
collaboré à de nombreux journaux, revues et anthologies:
PLANETE, PLEXUS, BIZARRE (J. J. Pauvert éditeur),
HARA-KIRI, ARTS, ZELE, PARISCOPE, MIROIR DU FAN-
TASTIQUE, L'OMNIBUS, SATIRIX «sang de moyenne»
numéro consacré à l'Automobile (N° 8, mai 72) «Pourrir
en Société» numéro consacré à la pollution (N° 22,
juillet - Août 73).
et collabore toujours à LUI, SCIENCES ET VIE,
LA VIE ELECTRIQUE, CIRCUS, PARDON (Allemagne),
MEDICAL TRIBUNE (Allemagne) TRIBUNE MEDICALE
(France), etc...

PUBLICITE:

Campagne pour l'UAP, trois affiches géantes.

BLOC
OPERATOIRE

Chirurgie

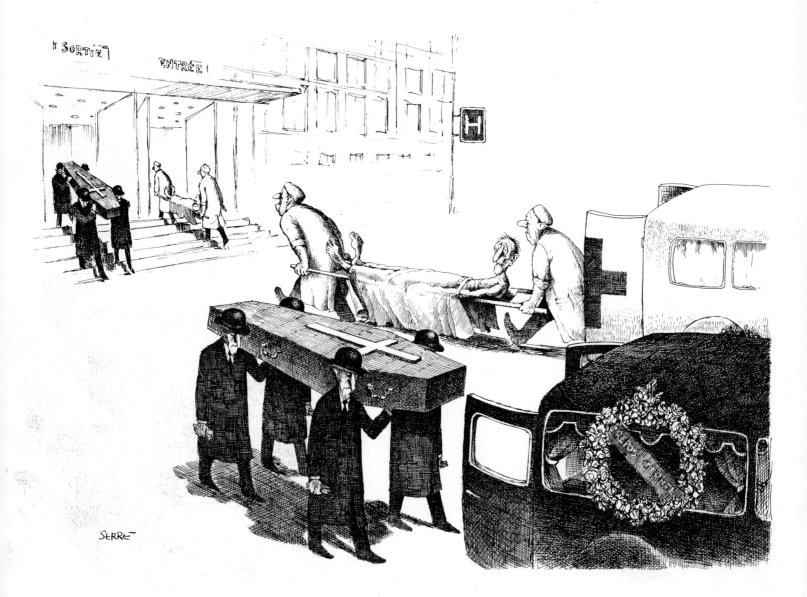

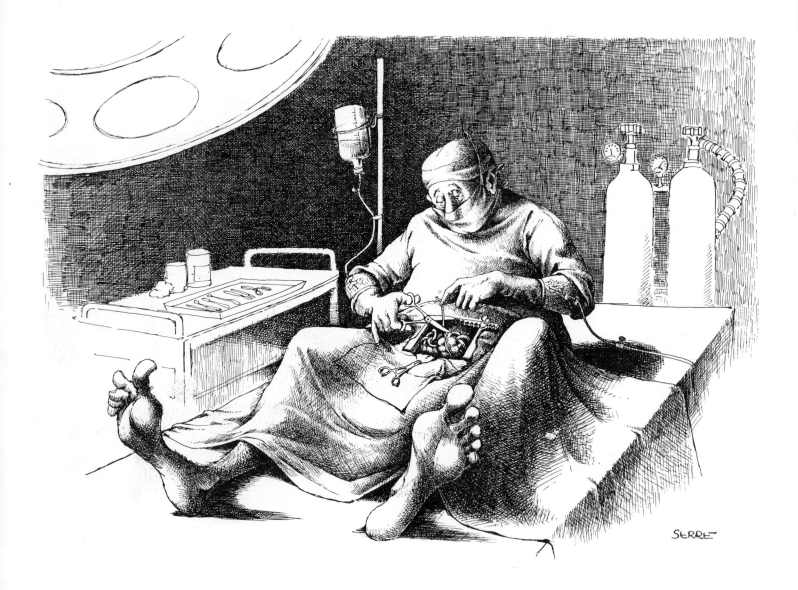

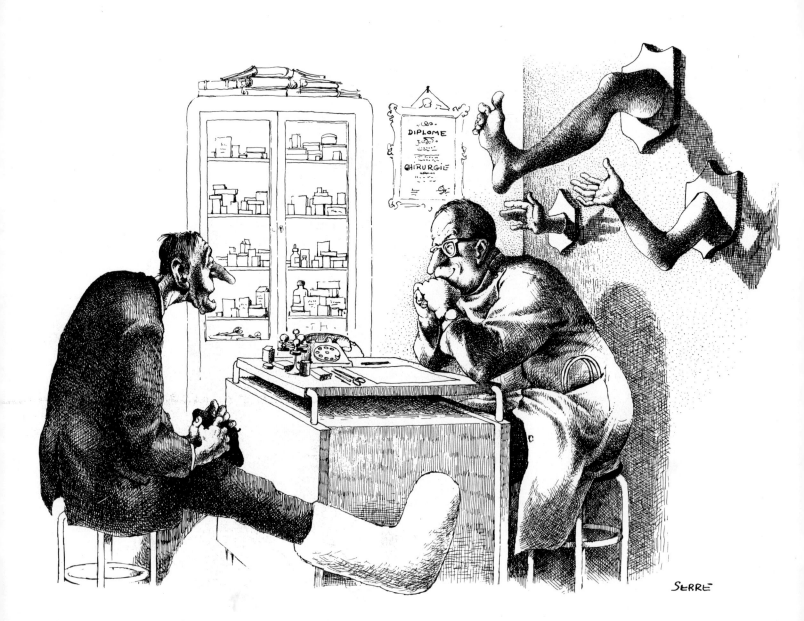

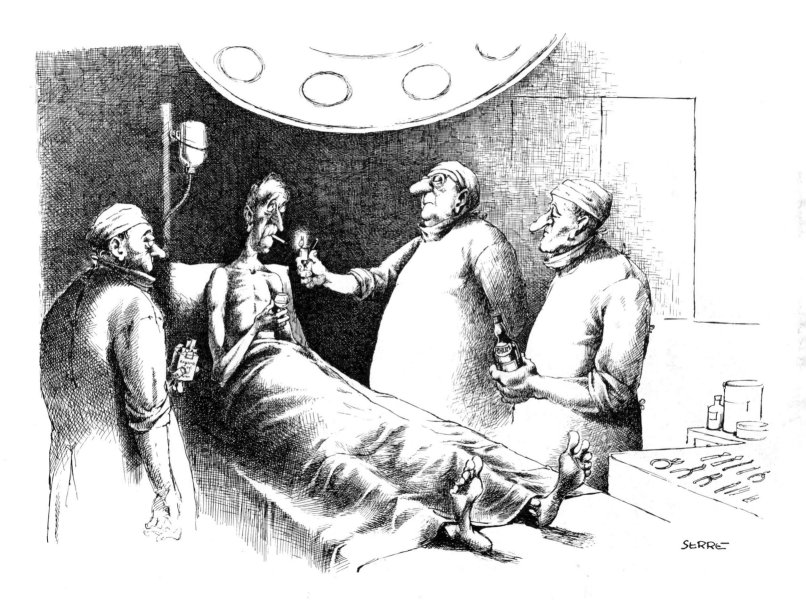

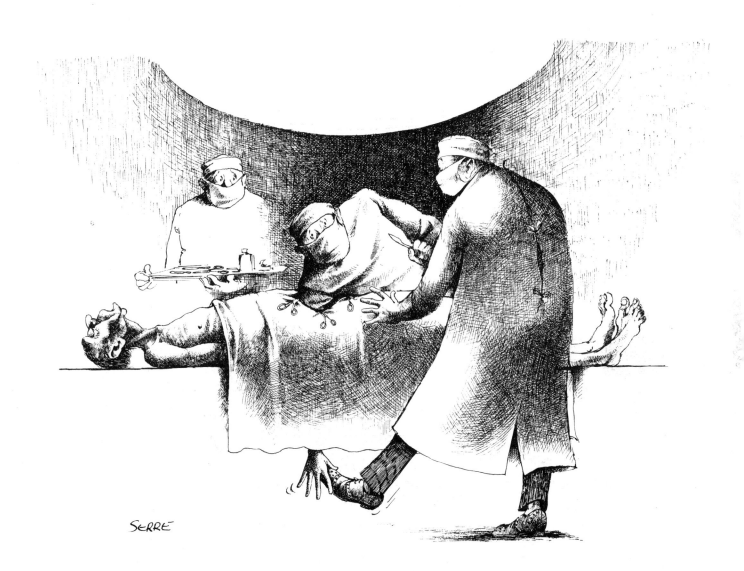

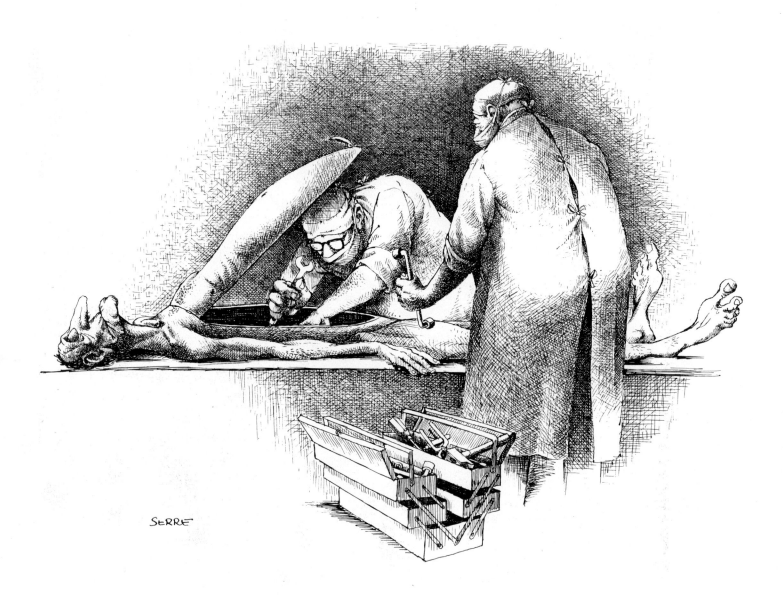

PharmaCie

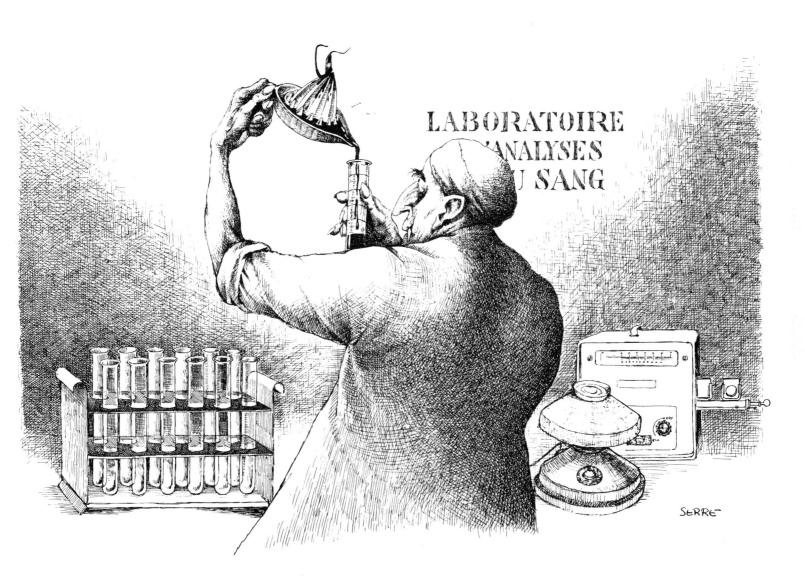

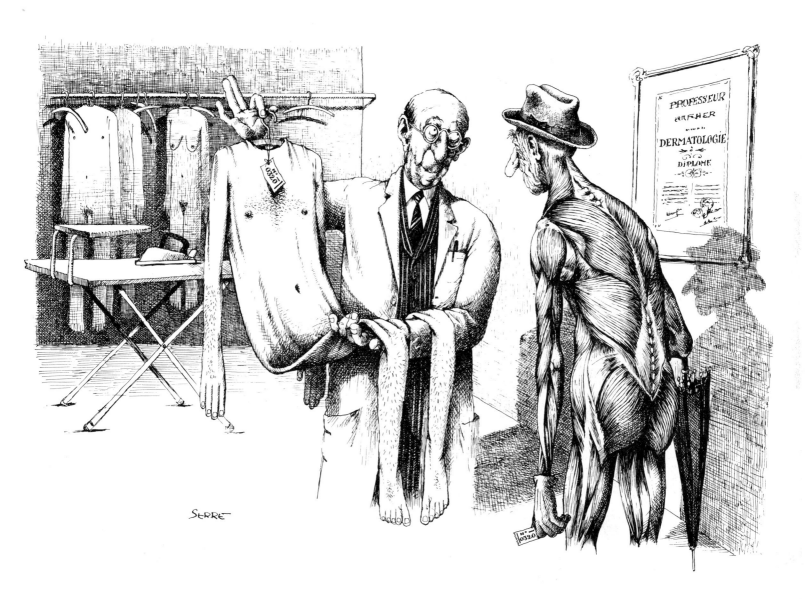

Psychiatrie

SERRE

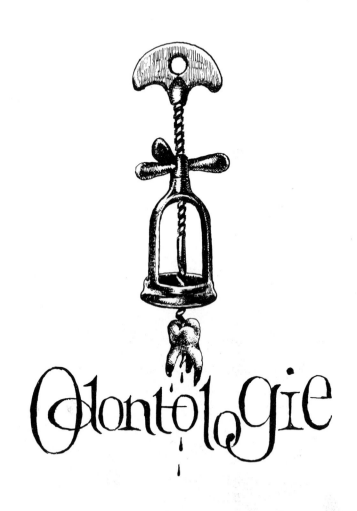

Odontologie

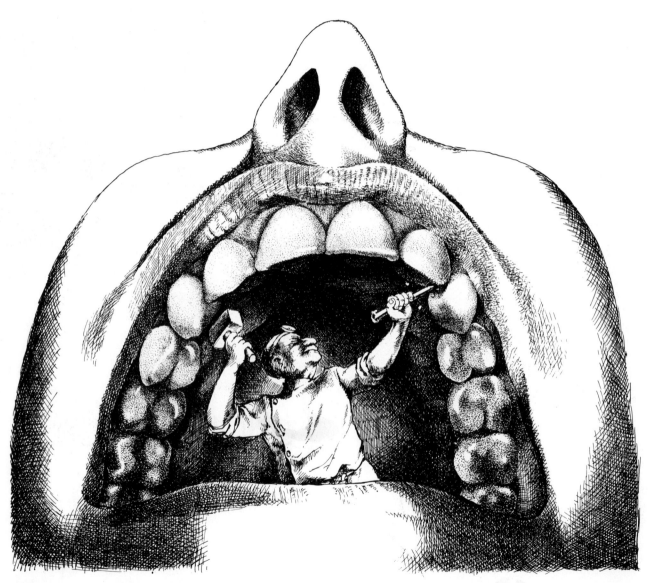

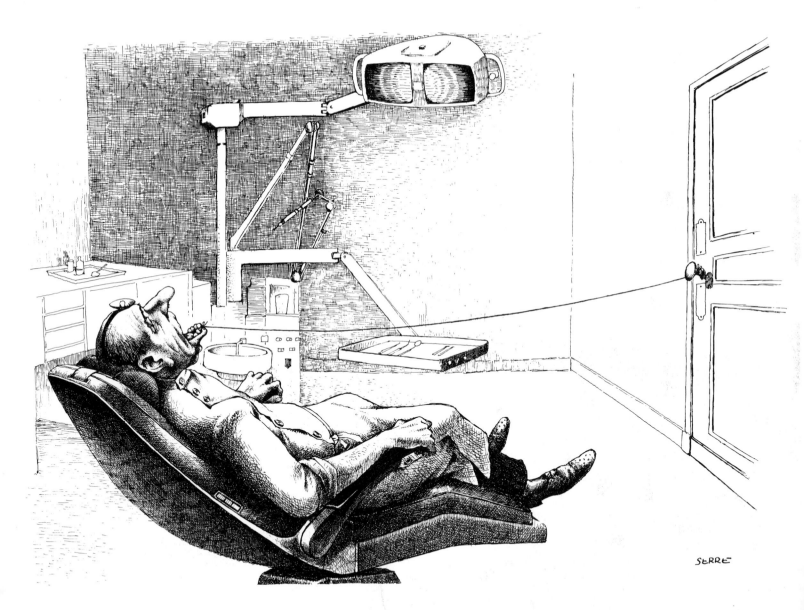

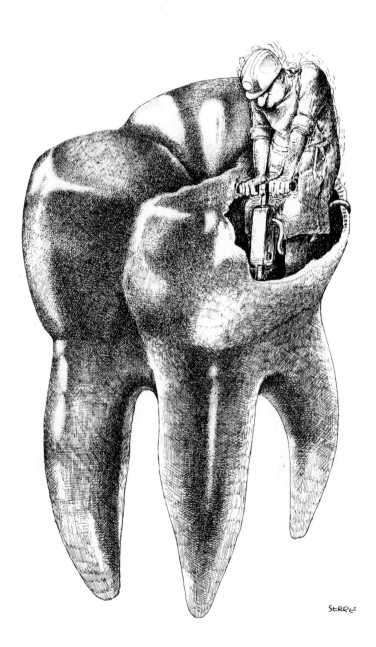

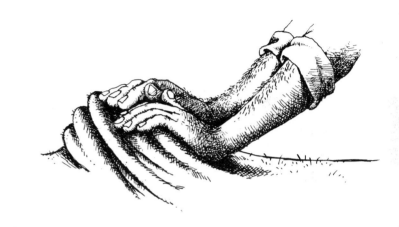

Masso
Kinésithérapie

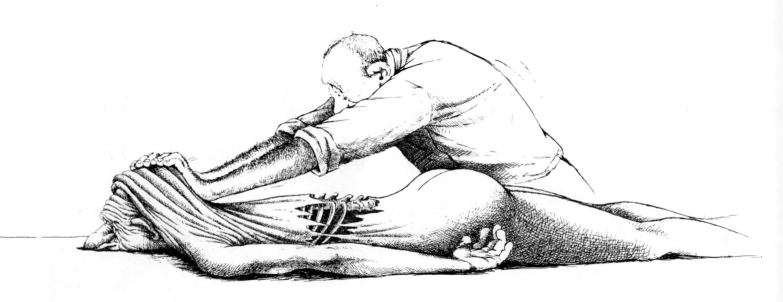

AAA

Médecine
Générale

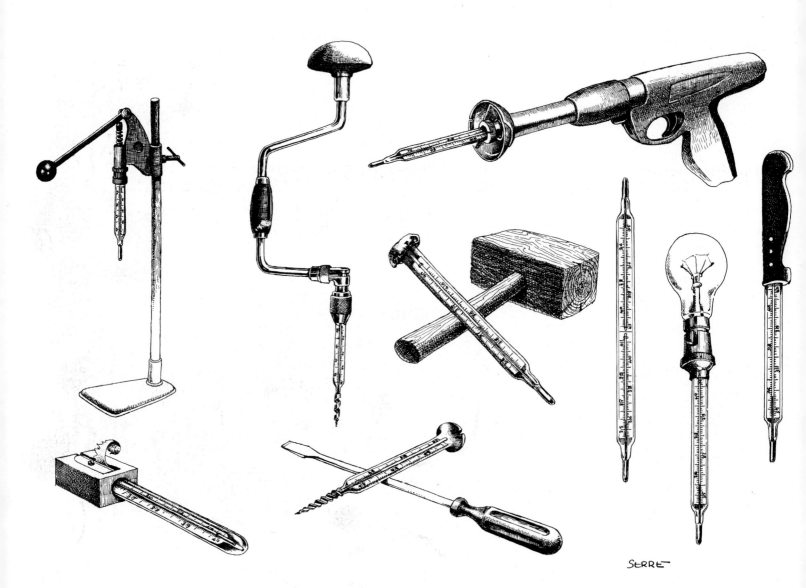

SERRE

SERRE

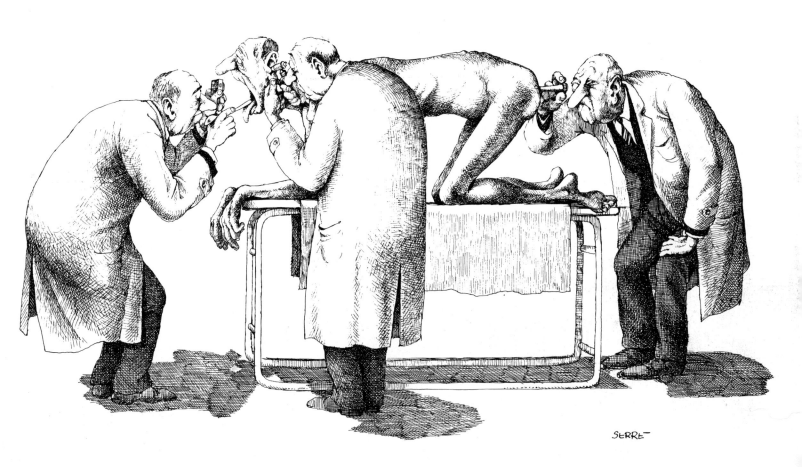

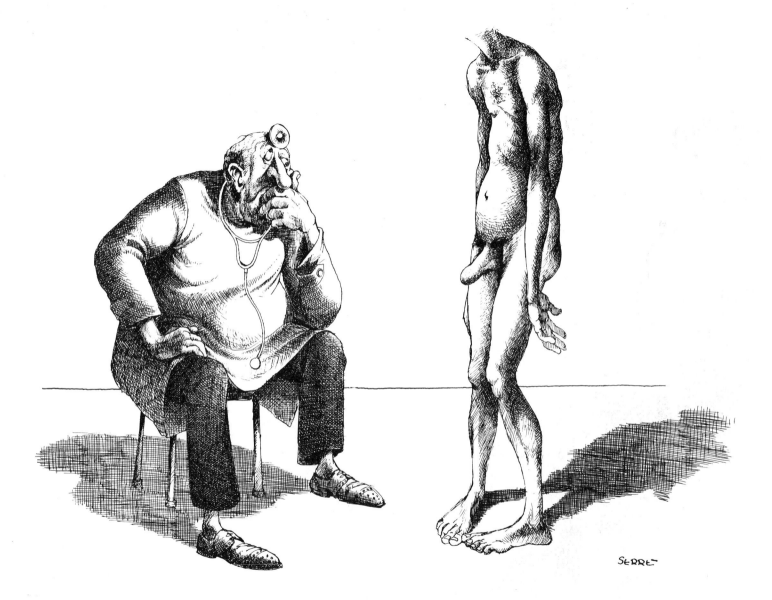

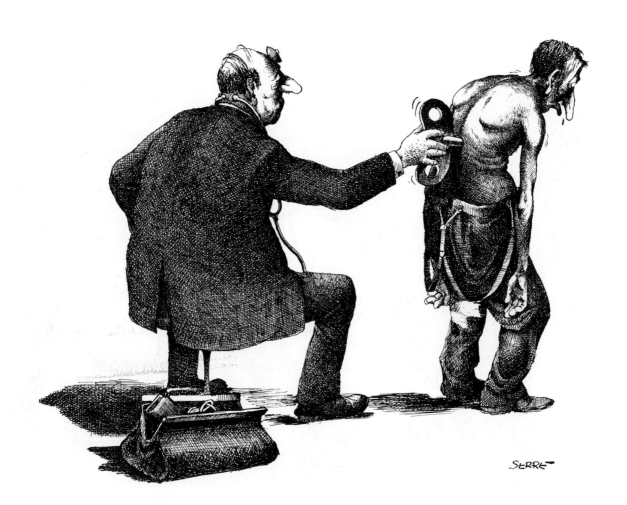

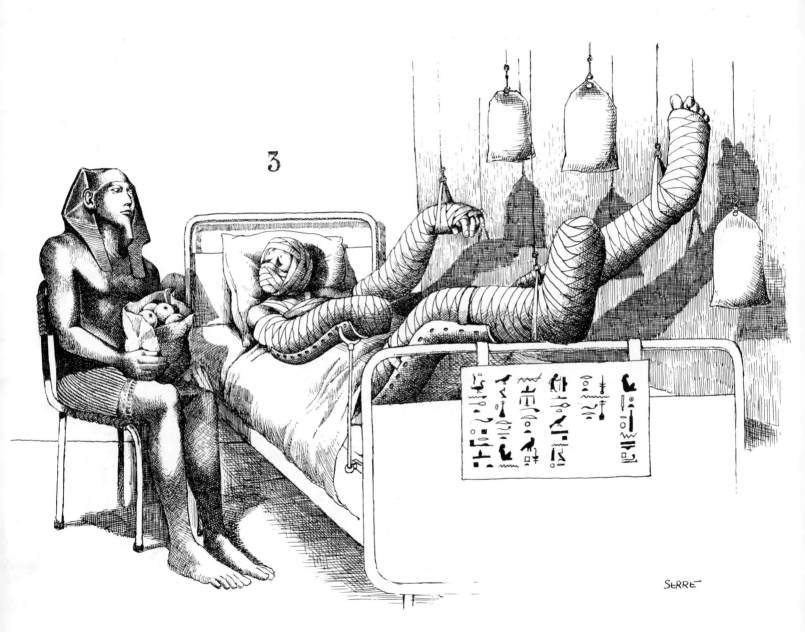

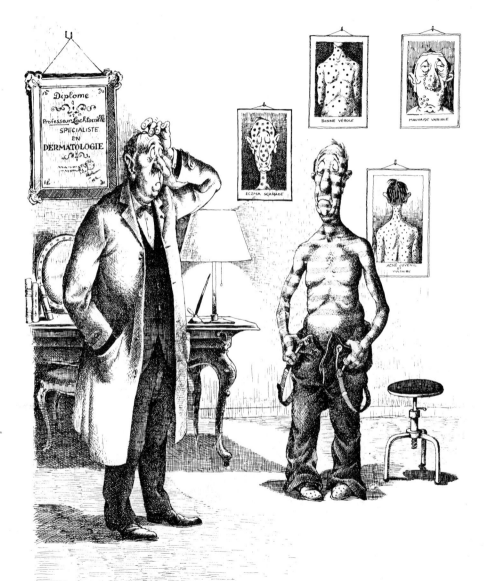

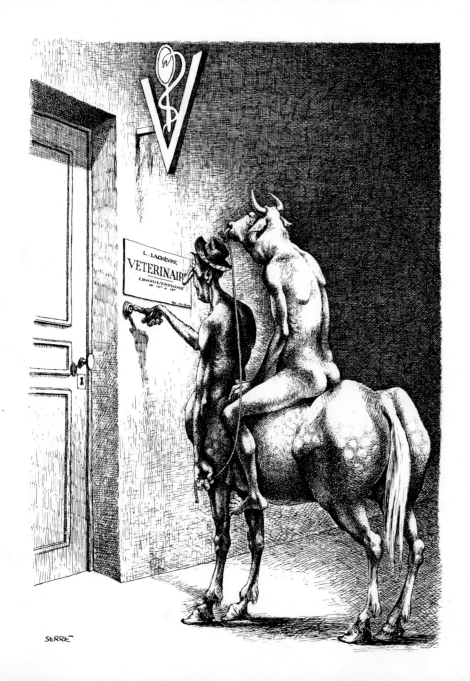

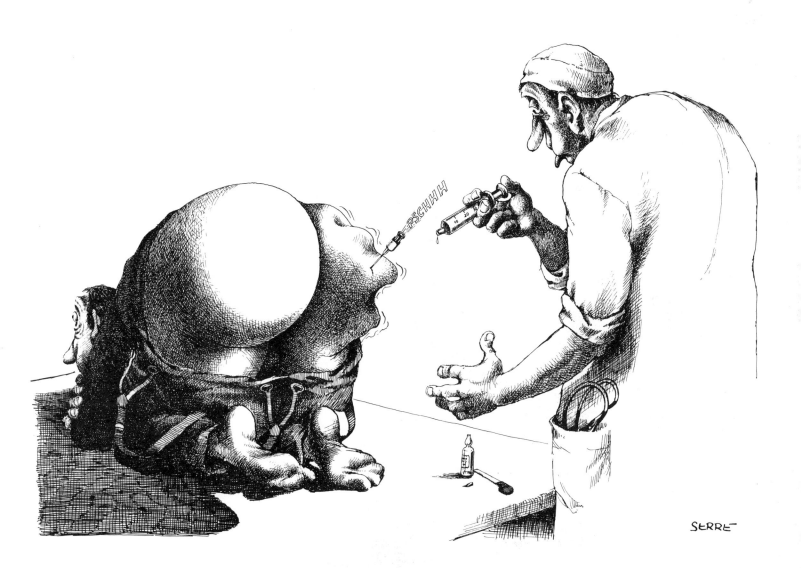

Dépôt légal : 2e trimestre 1982
Imprimé en France par Pollina, 85400 Luçon - N° 4625

Du même auteur, chez le même éditeur :